달빛 25 시

MOONLIGHT 25 Hour

청현 김미숙 시집

달빛 25 시

발 행 | 2024 년 3 월 5 일

저 자 | 청현 김미숙

펴낸이 | 한건희

펴낸곳 | 주식회사 부크크

출판사등록 | 2014.07.15.(제 2014-16 호)

주 소 | 서울특별시 금천구 가산디지털 1 로 119 SK 트윈타워 A 동 305 호

전 화 | 1670-8316

이메일 | info@bookk.co.kr

ISBN-〉 979-11-410-7490-6

www. bookk.co.kr

청현 김미숙 시집

달빛 25 시

MOONLIGHT 25 Hour

〈청현 김미숙 시인의 달빛 25시〉

장충열 - 사)한국문인협회 문화예술이사

시는 극점에 달한 언어라는 말이 떠오른다. 제목에서부터 달의 정서와 시간을 초월한 자유로운 영혼의 이미지가 절로 페이지를 넘기게 한다.

김미숙 시편들은 독특한 개성의 시어들로 끌어당기며 즐거운 긴장미에 갇혀 시와 일체감이 들게 만든다. 튼튼한 잉태 기간을 거친 시편들은 영상화 되어 리듬을 타며 곧 카타르시스가 된다. 자연과 인간애, 사랑! 때론 파도 치게 하고, 잔잔한 수상록처럼 잠기게도 하는 흑백과 칼라의 정겨운 나열, 하나의 공간에서 포만감으로 또 읽게 되는 시편들! 시를 형상화 시켜 입체감 넘치게 펼치는 노련미가 앞으로 얼마든지 다른 장르까지도 심오한 감성으로 장식 하리라 기대가 되는 유능한 시인이다.

한 마디로 김시인은 상상의 산물을 자신의 문학 세계로
채색하여 성숙한 내면에 적당히 발효시켜 영양가 있게 한
상 대접할 줄 하는 멋진 시인이다.
낭송가이기도 한 김시인은 고급스런 음성으로 낭송 문학의
가치를 높이며 다양한 예술로 승화시키는 재능이 탁월한
예술시인이다.
세상에는 수많은 시들이 희소가치를 약화시키며 범람하는
것이 현실이다. 한 권의 시집에 주제가 명징하고 선명한
그림이 그려지게 쓴 시들을 만나는 것은 진주를 보는
기쁨이다. 현악기의 섬세한 울림이 긴 여운이 되듯이 진실한
시편들의 파장이 윤슬로 번져 가리라 믿으며 응원과 갈채를
띄운다. 베스트셀러를 기원하며...

차례

제 1 부

제 1 부 하늘연달

평범한 일상의 그리움

벼린 생각들이 차곡차곡 쌓여
두 팔 벌려 하늘 향해 날아오르고
소나기처럼 요란하던 상상

텅 빈 푸른 허공에 묵은 찌꺼기 툴툴 털고
가을빛 너울에 몸을 맡기며
비워진 뜨락에 시월의 햇살을 가득 담는다.

투명 우산

비가 주룩주룩 내리면

빗방울 흘린 사연 주우러

투명 우산을 쓰고 거리로 나간다

서로 다른 동그라미 그리며

떠돌다 못다한 이야기

그렁그렁 투명하게 토해져

또르르 흘러내리면

울적한 마음 깨끗하게 씻겨져 내린다

비 오는 날엔

투명 우산을 쓰고 거리에 나가

못다한 이야기 마음껏 쏟아 본다.

목련 꽃 피는 날

혹독한 겨울 바람을 껴안고 뒹굴다

꽃샘 바람의 화살 날려버리고

보송보송 솜털 옷 입은 봉우리

향기 가득 봉긋한 가슴을 힘껏 내밀어본다

용솟음치는 강한 숨소리

애타게 기다리던 훈풍의 입맞춤에

한꺼풀 한꺼플 하얀 저고리 풀며

눈부신 태양의 꽃술을 빨아 들인다

하얀 옷고름 날리던 첫날이었다

여름 일기

서서히 검은 그림자 밀려오면
처연하게 떠 있는 달 사이로
무수한 별들이 희롱한다.

태양을 흠뻑 삼킨 영롱한 빛들이
거문고에 맞춰 흐드러지는 춤사위가 펼쳐지고
별들의 웃음은 밤하늘을 출렁이게 한다

불빛 하나 없는 어둠의 사막은
별들의 향연으로 찬란한데
그대의 별은 어디에 있나

별들이 소나기로 쏟아 내리면
그리움이 폭포수로 넘쳐 흘러
한 개의 별을 따다
내 품에 가두고
그대와 사랑을 속삭여본다.

엄마의 장독대

한여름 강렬한 햇살을 뚫고
굵은 빗방울이 한 낮의 열기 잠재우면
나란히 열 맞춰 잠잠하던 장독들
볼록한 배 내밀고 윤기 뿜으며
비 마중을 나간다

애간장 끓어 시커멓게 변해간 간장
벗어나고 싶어 시뻘겋게 화가 난 고추장
누렇게 뜬 얼굴 위로 허연 곰팡이 핀 된장이
도란도란 한데 모여 쏟아지는 빗방울에 하소연한다

주인을 잃어버린 슬픔
무관심 속에 말라가는 외로움에
돌아올 수 없는 부드러운 손길 애타게 찾으며

깊은 한숨과 지독한 그리움
항아리에 꾹꾹 눌러 담아
장독대 위 떨어지는 굵은 눈물 방울로
절여진 아픔을 씻어 내린다

하늘 연달

벼린 생각들이 차곡차곡 쌓여
두 팔 벌려 하늘 향해 날아오르고
소나기처럼 요란하던 상상
애끓는 심장의 몸부림이
형형색색 붓끝을 물들어 가며
가을에 조금씩 희며 든다

삶의 허구에 매달려
산등성을 가파르게 오르내리고
생채기를 내 몸살을 앓던 기억의 흔적들이
하늘 담벼락에 걸터앉아
추억의 잔재를 구름 위에 걸쳐놓고
환불 된 시간의 그림자에 누워
활짝 열린 하늘을 유영한다

텅 빈 푸른 허공에 묵은 찌꺼기 툴툴 털고
가을빛 너울에 몸을 맡기며
비워진 뜨락에 시월의 햇살을 가득 담는다.

하늘연달 : '시월'을 달리 부르는 순수 우리 말

오늘 하루

시간의 빗자루가 하루를 쓸고있다

한 조각 사색의 파편들이 바람에 날려 뒹굴고

날 선 조각은 무심하게 또 하나의 잔상을 새겨 놓는다

아픈 생채기 흔적 위로 작은 선 하나가 그어지며

얼룩들이 어제와 다른 얼굴위로 살포시 눕는다

범 내려온다

검은 호랑이가 붉은 태양을 뚫고 내려온다
떡 벌어진 당당한 어깨에 거센 바람도 놀라 잠잠해지고
차가운 공기만 호랑이 주위를 맴돌고 있다
사람과 사람 사이 다가갈 수 없는 어색한 공기
옆 사람이 병균이 있을까 서로 닿지 않으려는 몸부림
오미크론 코로나로 불안에 떤 검은 눈동자의 흔들림을
온몸에 느끼며 검은 범 내려온다

미 접종자로 낙인 찍혀
마트와 백화점 카페 공공시설도 거부당한 채
사회적 격리에 점점 작아져 웅크린 가슴
몸의 부작용을 확신할 수 없는 생명의 문제이기에
질병의 위험을 알지만
주사의 위험 더 두려워하기 때문에
자발적 고립이 아닌 사회로부터의 고립은
고독이 고독을 더 부르게 한다

찬 바람을 뚫고 범 내려온다
겨울이 지나면 따스한 봄이 오듯이
비범 모범 대범이 아닌
평범한 일상생활로 돌아가

소소한 행복을 누릴 수 있는 삶을
당당한 호랑이의 위상으로 기대해본다

열흘 붉은 꽃은 없다

나의 청춘을 물들게 한 한송이 꽃
돌아보니 한순간의 허망 함이요
죽을 것 같던 사랑의 고통도
지나고 보니 한순간의 허상이더라

가을에 마지막 남은 잎새 하나
강한 바람을 견디지 못해 떨어지고
눈 속을 뚫고 나온 겨울 동백꽃도
순간의 바람에 목이 잘려 떨어지더라

석양의 빛이 아름답다고 하나
어둠에 사로잡혀 사라져 버리고
사랑을 주고 받은 모든 것들이
보름달이 그믐에 쫓겨 밀려나 듯
어둠 속에 조금씩 묻혀가더라

세월을 먹고 또 먹어
하루가 길고 멀다고 느낄 때
하루가 짧고 순식간이라고 느낄 때
이루지 못한 사랑이라 슬퍼하지 말자
떠난 사랑에 그리움으로 세월을 보내지 말자

인생은 짜릿한 슬픈 찰나의 여행
아무리 예쁜 꽃도 열흘 가지 못하더라

눈꽃

가을이 숨을 거두고
마지막 남은 잎마저 바람이 쓸어간 자리

펑펑 쏟아 내리는 눈송이
휘어진 가지 위로
칼 바람 고통 속에
살포시 앉은 하얀 꽃

열정과 욕망이 사라진
얼어붙은 시간의 끝자락

정화된 영혼을 알알이 심어
자궁 속 잉태되는
생명의 기운 느끼며
따뜻한 당신의 입김이 깨어날
새로운 봄을 매달고 있다.

Snowflake

As autumn draws to breathe a last breath

There is the empty place

Where the last leaves are swept away by the wind

Snowflake pours down like rain

Over twisted branches

A white flower settles softly

In the slashing wind

At the edge of frozen time

It plants purified souls grain by grain

Feeling the vitality of life

Conceiving within the womb

Awaiting the awakening of spring

애상(哀傷)

캄캄한 방
허리 등 굽히고
그리움 목말라
훌쩍거린다

무더기로 비 쏟아져 눈물 앞을 가리고
역류하는 콧물에 숨이 막혀 헐떡거린다

살 에이는 통증과 구멍 난 심장 부여잡고
보고픈 마음 지우개로 흔적 지우려 하나
저리도록 시린 가슴 참을 수 없어

오늘도 하루 종일
너를 찾아
빈방을 서성인다.

Grief ·

In a dimly lit room
I give a deep sob
Bowing the back and waist
Thirsting for longing

As tears pour down in heaps
I can't see anything
Choked by the backflow of runny nose
I pant for breath in agony
Grasping the pain with my flesh and the pierced heart
Trying to remove traces of longing with an eraser
But my frozen chest can't endure it any longer

Today, all day long
I wander through empty rooms
Searching for you

꼰데 라떼는 말이야

유리구슬 속 과거의 세상이 눈처럼 쏟아져
기억의 파편들이 이리저리 팝콘으로 튀어 오르고
무수히 반복되는 똑같은 말 폭포처럼 쏟아지며
남들이 못 들을까 큰소리로 열변을 게워낸다

평범하지 않은 삶이 어찌 있으리오
각자 삶은 한편의 생생한 드라마인데
마지막 남은 잎새 바람이 불면 떨어질
흘러간 파편 주워 담으며
그리워하지 않을 수많은 날 붙들고
어느 길을 헤매고 있는 걸까

해묵은 방 하나 가슴을 끌어안고
오늘도 과거가 될 날 망각한 채
행여나 청춘의 향수가 무너질까
꼬여진 엉킨 줄을 더 꼬여지게 하는
꼰데 라떼

디딤돌

한발한발 걸음마 시작할 때
발이 되어주고
힘들어 비틀비틀 거릴 때
손을 잡아주는
당신은 나의 지팡이였습니다.

방황하던 시절
힘과 용기를 주며
청춘을 빛나게 도와준
당신은 나의 등불이셨습니다.

세상 향해 걸음 옮길 때
자만하지 않도록
한계단 한계단 딛고 올라갈
등을 내밀어 준
당신은 나의 주춧돌이셨습니다.

언제나 변함없이
모진 풍파에 시달리며
그 자리에 홀로 앉아
지켜주고 돌봐주는
당신은 나의 인생의 반석이십니다.

시의 향기

깜깜한 동굴 안
사방을 둘러봐도 어둠과 적막 뿐
꼬부라진 그녀의 등 위로 침묵이 흐른다
들리는 소리는 혈관을 타고 흐르는
물결 소리와 거친 숨소리 뿐

어느 날 조그만 불씨 하나 심장을 비춰
모으고 또 모아 뜨거운 불길 되니
어지럽던 상상 춤추는 언어 더이상 참을 수 없어
뜨거운 화산 되어 폭발한다

터져라 흩어져라 마음껏 뿜어내라
응어리진 마음 활활 타오르는 용광로 되어
당신의 심장 태워 주리라.

흘러라 주룩주룩
뜨거운 용암 되어 대지 적시고
미친 듯 뛰놀던 상상의 소리
농염한 여인 되어
당신의 가슴 녹여 주리라.

날아라 분출하라
하늘 향해 쏟아져 내리는 불기둥
자유로운 영혼 되어 날아 가리라

뿜어져 나오는 환희의 노래가
내 마음 가득 담아
당신의 심장에 한줄기 빛이 되리라.

방역 패스

겨울 바람을 안고 바위가 신음한다
코로나로 만날 수 없었던 관계의 고독이
방역 패스 사회제도로 더 멀어지며
거센 역풍에 바위가 움찔거린다

미세한 빗살로 번지는 외로움이
헐거 벗은 나뭇가지에 걸려 휘날리고
갈 곳 잃은 발자국은 불어오는 세찬 바람에
허공을 떠다닌다

아까워라 날아가는 시간들
애달퍼라 사라지는 삶의 기억들

하늘은 무심한 듯 그대로이고
달과 별은 변함없이 따뜻하게 비추고 있지만
벌거벗은 나목은
가로등의 창백한 빛에 등을 돌리고
그림자를 벗 삼아 한잔 술을 마신다.

입술

얼굴에 핀 붉은 꽃 봉오리
꽃 바람이 다가가
밤새 속삭속삭
짜릿한 전율에 몸을 털며
환하게 꽃송이 피우네

아무 시

비가 주룩주룩 내리는 날
머리는 뒤죽박죽 기분 잡친 날
펜을 들고 백지에 아무거나 적어봐
머리에 갇힌 생각 탈출시켜 쓰는 거야
시가 뭐 대수냐, 규칙이 뭐가 필요해
뚝뚝 떨어지는 눈물과
감정에 복받쳐 흘리는 콧물로 써 내려간
네 글이 한편의 시가 되지
고상한 말 던져버리고 유행가 가사이면 어때
네 마음을 탈탈 털어 정화 되면 그게 바로 너의 시야.

2.
설레는 행복에 충만한 날
부픈 가슴 억제할 수 없는 날
파아란 하늘을 봐
모든 세상 반짝반짝 빛나 아름다워 보이면
재빨리 펜을 들고 끄적여봐
살아 움직여 춤추는 글이 너를 더욱 기쁘게 해
샘솟듯 쏟아지는 감동은 흰 종이에 펄럭이고
저절로 입 꼬리가 하늘로 날아가

네 가슴 빨갛게 물들일 때,
별처럼 쏟아지는 언어들이
한 폭의 그림으로 눈 앞에 펼쳐질 꺼야

유명한 시인이 아니어도 괜찮아
네가 바로 명(名) 시인이고 그게 바로 명(明)시야.

연꽃 잎

진흙 속 헝클어진 기억을 뚫고
하얀 젖가슴 봉긋하게 솟아 오를 때
맑고 청초한 그녀를 맞이하러
넓은 초록 치마 한껏 펼친다

바람에 쓰러질까
햇볕에 목이 마를까
커다란 잎 방사상으로 펼쳐 놓으며
빗살처럼 퍼지는 그녀의 향기를 담아 놓는다.

후두둑 떨어지는 빗소리에
영롱한 눈물 방울 행여나 흘릴 세라
보석처럼 반짝이는 눈물 모아
심장 한가운데 품어 안는다

송송 뚫린 가슴에 품은 씨 잉태하고
연꽃 잎 한 장 한 장 흩날릴 때
새로운 생명의 창조를 위해
그녀의 남루한 옷 차곡차곡 쌓아 놓는다

마지막 숨결

지구를 물었다가 토하는 밤
주변은 정적과 침묵 속으로 빠져들고
까만 밤은 펑펑 쏟아내는 눈송이에
하얀 밤에 자리를 비켜준다

바람에 가볍게 날리는 눈송이
무채색으로 바뀐 세상은
홀로 떠나는 발걸음을 무겁게 짓누른다.

수북이 쌓인 눈꽃 세상
정신은 투명하게 정화되고
하얀 숨을 들여 마시며
얼어붙은 가슴에 마지막 열기 토해낸다.

멀리서 들려오는 종소리
발걸음을 재촉할 때
날개 짓 하며 부르는 천사의 노래
눈송이 갈라놓아
길을 환하게 비춰주고 있다.

제 2부

제 2부 무지개 다리

신비의 보라 빛 세계

연보라 커튼을 열어보니
라벤더 향기 가득 품은 보랏빛 세계
꿈에 그리던 보고 싶은 얼굴들
행복한 함박 웃음 띠고
팔을 벌려 품 안에 안는다

딸 부자 감나무 집

주렁주렁 열린 감나무 집 아래
올망졸망 달린 일곱 명의 딸 부자 집
큰방 하나에 윗목 아래 목 나누어
살을 부대끼며 꿈을 꾸던 방
반반 나뉘어져 펼쳐진 이불 위로
일곱 마리 고양이 새끼들이 이불 속을 파헤쳐도
따뜻한 온기와 웃음이 무럭무럭 피어나던 안방

빈 터에 옥상 만들던 날
차마 베어내지 못하고
계단을 감나무 허리에 두르고
마당 한 가운데 우뚝 솟은 감나무
붉은 석양에 매달린 똘감 바라보다가
행여나 홍시 있나 빨간 눈으로 염탐하며
감나무와 함께 물들어 가던 어린 시절

꿈속에 보았던 감나무를 보기 위해
보물 찾으러 가는 아이 마냥
까만 손때 묻은 추억을 품고
달려간 고향 집

홍시 냄새 담벼락에 묻어있는
좁은 골목 길 그대로이고
부러워하던 부자 집 기와는 말없이 반기는데

위풍 당당하던 감나무는
댕강 목이 잘려 밑둥만 놓여있고
헐벗은 공터엔 추억도 바람에 날아간 채
잘려나간 감나무만 빈터를 지키며
잠시 쉬어 가라 몸을 내준다

딸아, 아들아

어떤 인연으로 다가왔는지
내가 선택한 것도 아니고
너희들이 선택한 것도 아닌
삶이라는 인생의 굴레 속에서 만나
함께 울고 함께 웃었던 가족이라는 우리들

내 몸을 빌려 태어났지만
다른 인격체이고
다른 환경에서 자란
새싹들이기 때문에
새로운 다른 인생을 살거라 믿는다

한때는 혼낸다고 미워하고
잔소리꾼으로 꼰대들의 세상에 산다고 원망하며
뛰어난 다른 부모를 보며 부러워했을 너희들
많은 실망과 좌절을 줄 때도 있었겠지만

기억 해 주렴

고사리같은 따뜻한 손으로 다가와 어루만지면
온 마음이 감동의 분홍빛으로 물들고
온 세상을 가졌다는 기분이 흘러 넘치게 하는
사랑스런 아들 딸 이었다는 것을

부모라는 책임을 가지고
위태로울 때 물불을 가리지 않고 뛰어들 사람은 엄마이고
기뻐할 때 하늘 향해 가장 높이 뛰었으며
좌절할 때 온 가슴이 심연의 굴레에 빠져 괴로워한 것도
엄마였음을

아들아, 딸아
이 세상은 너희들의 놀이터
넘어지면 일어나고 또 일어나
펼쳐진 밝은 야외무대에서
한바탕 힘차게 놀아 보렴

절정

두근대는 가슴 요동치고
뜨거운 심장 끓어오르는 열정 참을 수 없어
탄성을 지르며 분출한다.

환희의 순간으로 불꽃이 피어
뭉게구름으로 하늘을 날며
입에서 터져 나온 굉음은
뜨거운 마그마 되어
벌거벗은 몸에 흘러 내린다.

심장이 터지고
온몸이 행복의 전율로 가득 차
벌어진 잎 사이
사랑의 향기 흩어지면
밤사이 번개를 품고 천둥소리 내며
한송이 꽃을 피운다

해삼

울퉁불퉁한 몸으로 꿈틀 꿈틀
시커먼 매끄러운 돌덩어리
전복이 구멍 난 깨진 바위라면
너는 돌지렁이인가

산에서 나면 산삼이요
바다에서 나면 해삼 이라는데
파도가 뒹구는 바위에 앉아
먹을까 말까 망설이다
한입 베어 무니

오도독 오도독
바다의 목구멍 울리는 소리
파도의 진통이 퍼지는 소리
막걸리 상에 번지던 아버지 웃음소리
짭쪼름한 겹겹의그리움이
입안 가득 향연을 펼친다

파도의 통증이 다가오고
바다가 또 다른 바다를 그리워할 때
오늘도 너에게 달려간다.

무지개 다리

하늘이 문을 열어
한바탕 폭포수 흘린 후
미처 닫히지 않은 천상의 다리가
이슬 머금고 노을에 빛을 발한다.

하늘과 땅을 이어주는
일곱 가지 색채의 영롱한 아치형 다리
빨갛게 끓어오르는 계단에
한발작 한발작 조심스레 올라가니
붉은 빛은 점차 사라지고
석양에 반짝이는 주황빛 사막과
노란 모래가 출렁인다.

헉헉거리며 사막을 건너면
시원한 오아시스와
파란하늘이 손에 닿는다
파란빛은 깊이를 더하고

마지막 연보라 커튼을 열어보니
라벤더의 향기를 가득 품은 보랏빛 세계

그 너머에

꿈에 그리던 보고 싶은 얼굴
행복한 함박 웃음 띠고
팔을 벌려 품 안에 안는다

엄마의 옷장

 엄마의 낡은 옷장이 열렸다 93 년 동안 등 구부려 짊어진 낡은 옷들이 나란히 줄 맞춰 행렬을 이루며 스멀스멀 익숙한 냄새로 다가온다 맨 밑에 고이 간직한 보자기를 찾으러 열을 무너뜨린다 제멋대로 흩어지는 옷의 밑바닥에 황금색 보자기로 곱게 싼 하얀 모시가 시리게 다가온다 마지막 가는 길 자식들이 부담될까 10 년 동안 잠자던 나비가 훨훨 날아오른다 곱게 단장한 엄마의 육신을 치장하며 뜨거운 화염 속에 미친 듯 춤추다 붉은 새되어 날아간다 썰물처럼 빠져나간 자리엔 아끼던 옷들이 헝클어져 산발한 채 실려나가고 텅 빈 옷장은 침묵을 집어삼켜 낡은 쾌쾌한 냄새만 음산하게 퍼진다 주인 잃은 서랍은 불안에 떨며 삐걱삐걱 울고 있다

버찌

연분홍 속적삼 풀며
봄바람 떠난 자리에
고통의 상처로 신음하며
흘러내리는
붉은 눈물 방울

벌과 나비도 떠나
까맣게 타 들어 간 눈가에
가슴 아린 침묵
방울방울 매달려있는
검은 눈물 자국

계곡물 소리

시원하게 쏟아지는 한줄기 물보라
쏴아 쏴아 급히 흘러가는 물살에
바위는 깜짝 놀라 몸을 움츠리고

나무들 흔들흔들 미소 지으면
고요한 숲 속이 생동감으로 뛰어올라
마음은 점차 청량 해 지며
세월을 쫓던 나그네
계곡물 흐르는 시간 속으로 들어간다

물살처럼 흐르는 시간
누가 잡을 수 있나
느리면 느리게
급하면 급하게
흘러가는 대로
물살에 몸을 맡긴다

지평선

탁 트인 넓게 펼쳐진 가을 들녘
활짝 열어놓은 마음처럼
끝을 알 수가 없다

고개 숙인 벼 이삭들
석양에 반짝이며
황금빛 머리 흔들 때
흘러나오는 충족감
세상 부러울 것도 없다

대롱대롱 매달린 허수아비
기쁨에 겨워 팔을 흔들고
경운기 곡식 가득 담아
농부들 길 재촉할 때

지평선 저 너머
꿈과 희망이 새록새록 돋아나고
푸른 하늘로 풍만해진 가슴은
묵었던 짐을 털고
행복의 보따리로 가득 채운다

가을을 말리다

지난 여름 후줄근한 마음을
청명한 가을 하늘에 말린다
거추장스럽고 찌든 머리를
한껏 볏단에 묶어놓고
텅 빈 볏 짐으로 나락을 펼쳐 말린다

부끄럽던 마음은
붉은 단풍으로 타 들어 가며
외로운 손은 갈 곳을 잃고
떨어지는 잎사귀 비늘을
뜨거운 햇살에 말린다

네가 떠난 텅 빈 방
파란 하늘에
촘촘히 수놓았던 설레던 마음도
끊임없이 스쳐가는 갈바람 따라
바스락거리는 낙엽으로
가을은 점점 말라만 간다

지구

지구는 축구공
어디에서나 차도 굴러가는 공
어디에서나 오뚜기 처럼 일어나
푸른 자유를 향해 굴러가는 공
얼마나 멀리 발로 차야
너에게 닿을 수 있을까

오미크론의 하루

암울한 바위를 뚫고 피어나는 바위 꽃처럼
빨간 바이러스가 대화 속에 꽃피우며
가슴과 심장으로 파고든다

정신없이 흘러가는 세월만큼
확진자 수가 60 만명 넘으며
대한민국을 붉은 열병으로 끓게 하고 있다.

겨울 하늘은 겨울을 잊은 듯 화창하고
불어오던 훈풍도 주춤하는 3 월의 봄날은
신음을 흩날리며 근육통으로 신음해간다

철없는 매화는 얼굴 내밀며 자태 뽐내고
늘어진 수양버들 가지도 물이 차올라
혼자에 길들여진 발자국
인적 드문 들꽃 따라 한걸음 내딛어본다

폭풍 전야의 바람에 맞을까

파란 하늘 보며

두려움과 공포가 하릴없이 밀려온다

빗방울 소리로 여행

지붕 위 경쾌하게 떨어지는 빗방울
옥탑 방에 갇힌 영혼을 흔든다
신경 세포 하나하나 두드리며
메마른 세포에 물 흠뻑 주어
잠자던 의식 촉촉히 적셔 준다

비를 흠뻑 맞은 하루살이
오들오들 떨며 짙은 안개 속을 헤맨다
어느 길로 가야 하나
허우적허우적 운명의 줄 놓지 않으려
이길 수 없는 게임에 헛헛한 손 내저으며
불안한 빗방울 타고 구름 사이 헤집고 다닌다.

절제하지 못한 혼란 속에
축복도 절망도 아닌
희로애락 감정의 장난에서 벗어나
무념의 순간이 올 때를 기다리며
시간을 등에 업고 이곳저곳 기웃거린다.

오늘은 어디에 날개를 접어야 하나

하얀 구름

파란 하늘 아래 누워있는 하얀 구름
바람에 흩어져 당신께 가오리다
당신의 투명한 눈 속에 예쁜 모습으로
당신 뺨을 어루만지겠습니다.

수줍은 모습으로 살랑거리며
당신의 가느다란 코에 향기를 주겠습니다.
나의 향기에 취한 당신의 붉은 입술에
살포시 입맞춤하겠습니다.

황홀한 석양빛 받으며
요염하게 머리를 풀어헤치고 다가가
당신 품에 안기겠습니다.
세찬 바람이 심장을 두드려도 눈물 되어
당신의 온몸을 촉촉이 적셔주겠습니다.

언제나 당신 옆에서
언제나 당신의 그림자 되어
파아란 하늘 그림 그리며
항상 당신 곁에 남으렵니다.

여행이란

미지의 땅에
한 발을 내딛으면

두려움과 호기심이 가득 찬
도전의 세계

넘어지고 일어서는 순간
세상에 휘둘리지 않고
자신을 휘감은 속박의 굴레를 벗어나
묵묵히 거쳐온 길

높은 산 위에 올라
삶을 바라보며
평화와 희열 가득 찬 충족감이
파도 치며 온몸을 흔든다.

짓밟힌 낙엽

세찬 바람에 미친 듯 몸부림치며
줄타기하고 매달리지만
날아간다 날아가
휘이잉휘이잉

떨어진 몸은 누렇게 변해가
차곡차곡 쌓이면
몸 위로 스치는 발자국
바스락바스락

짓이겨진 얼굴은 짓밟혀 나가고
갈기갈기 찢긴 몸은 메마른 가루 되어
바람에 뒹굴뒹굴

흘러내리는 빗물이
눈물로 어루만지면
조금씩 조금씩 스며들어
흔적 없이 사라져 간다.

왕따 나무 (Lonesome Tree)

허허벌판 외로운 한 그루 나무
모진 바람과 비에 휘청거리며
하늘 향해 뻗어가고 있다.
주변을 둘러봐도 친구 하나 없고
오로지 지나가는 것은 바람과 햇살 뿐

언제부터 일까?
많은 사람들이 홀로선 모습을 보고
호기심 어린 눈길로 다가온다
연인들의 사랑스런 눈빛과 몸짓으로
그들의 삶에 내 존재를 투영시킨다.
이제 혼자가 아니다.

연인들에게는 미래의 축복
친구들에게는 우정의 약속
외로운 친구에게는 멋진 한 폭의 배경을
왕따 나무와 더불어 즐기고 간다

혼자가 혼자가 아니듯이
아름다운 홀로서기를 즐기며
의연히 이 들판에 살아남아
찬란히 빛나는 왕따가 되리라.

Alone in the vast field, a lonely tree stands,
Swaying in the harsh wind and rain,
Reaching towards the sky.
Looking around, there is not a single friend,
Only the passing wind and sunlight.

Since when has it been like this?
Many people, attracted by the sight of solitude,
Approach with curious eyes.
With the loving gaze and gestures of lovers,
They reflect their own existence onto my life.
Now, I am no longer alone.

To lovers, a blessing for the future.
To friends, a promise of friendship.
For the lonely friend, a beautiful backdrop,
They enjoy their time together with the outcast tree.

Just as being alone is not truly being alone,
Enjoying the beauty of standing alone,
Surviving resolutely in this wild field,
I become a shining outcast.

제 3부

제 3 부 해무

불켜진 등대를 찾아서

불 켜진 따뜻한 등대 행여나 보일까

잡을 수 없는 순간을 향해 날개를 펴고

쉴 곳 찾아 짙은 해무 속을 헤매고 다닌다.

해무

불타오르던 태양이 사라지고

파란 하늘과 바다가 어슴프레 회색 빛으로 젖으면

철썩이던 파도는 욕망을 은밀히 숨기고

비명 지르던 절벽은 고통을 감춘 채

천개의 바람은 매지 구름을 바다에 뿌려 놓는다

자욱한 안개가 숨죽이며 슬픔을 내려놓으니

그리움은 산산이 부서져 바스러지고

헝클어진 삶의 기억들은 바람에 실려 흩어져

공허한 심장 소리만이 휘휘하게 울려 퍼진다

돛단배 하나 보이지 않는 망망대해에서

잠든 바닷속에 시간을 묻어두고

흘러가는 구름에 몸을 맡긴 채

불 켜진 따뜻한 등대 행여나 보일까

잡을 수 없는 순간을 향해 날개를 펴고

쉴 곳 찾아 짙은 해무 속을 헤매고 다닌다.

추성(秋聲)

황량한 들판
억새들 갈바람에 흐느낀다.
바람은 무슨 말을 전한 걸까

싸악 싸악
찢어지는 구슬픈 울음소리에
한 맺힌 회환과 시린 가슴앓이가
깜깜한 어둠을 밝히며 눈처럼 쏟아져
누렇게 뜬 눈으로 바라보던 달은
절규하며 헝클어진 머리를 가만히 품어준다

얼마 남지 않은 짧은 운명의 시간
은빛 머리는 어둠의 그림자에 꽁꽁 묶인 채
통곡에 지쳐 쓰러진 억새들 사이로
내 마음도 허물어져 간다.

배고픈 사랑

세상에 홀로 떨어진 순간
엄마 바라기 되어
품 안에 포근히 감싸주기 원하고

철들어 이성에 눈뜬 날
그의 시선 머무는 곳에
항상 내가 있기 바라며

황혼에 접어들어
허전하고 불안한 마음
자식에게 눈길 머물고

임종 맞이하는 시간
미지의 신을 향해
두렵고 불쌍한 영혼 사랑하시어
좋은 길로 인도하길 갈구하는데

사랑은 먹고 또 먹어도 항상 배고프며
인생은 끊임없이 사랑을 찾아 떠난다

등의 고독

기뻐서 등 줄기에 흐르는 땀방울인가
슬퍼서 흘리는 눈물 방울인가
들썩이는 어깨 위로
차가운 바람만 맞은 채
당신의 감정을 그리고 있다

오른손은 왼손이 도와주고
윗입술은 아랫입술을 감싸주는데
뒤에 홀로 매달린 채
당신의 눈길을 소망한다

눈 앞을 향한 열정과 욕망으로
타인의 등만 바라보는 눈길을 보며
가장 가까운데 잊혀진 서러움에
당신의 따스한 손길을 기다리고 있다

따뜻한 온돌 바닥에 누워
옴 몸을 온기로 감싸 안도록
항상 지지하고 지켜주면서
나의 소리가 심장에 닿지 않아도
한번쯤 돌아볼 수 있기를 소망한다

비

비가
오도다

그러나
당신과 마주한 이 순간

비는
끓어오르는 수증기 되어

하늘로 멀리
퍼져 나간다

설 익은 봄

거친 바람 물리치고
훈풍은 살랑거리는데

마음의 봄은 언제 오려나

예쁜 꽃 하나 집어
품 안에 꾸욱 심어본다.

상사화

.

기다리는 님
만날 길 없어
외로움에 지쳐
푸른 잎 떨쳐낸다,

애끓는 그리움에
앙상하게 남은 그대
보고픈 마음 피 멍든 상처는
붉은 눈물 뚝뚝 떨어뜨린다.

스치는 바람결
꽃잎은 찢겨 나가
열매 맺지 못한 슬픔에
지금도 홀로 피를 토한다.

인생의 도로

태풍이 지나간 자리엔 평온함 가득하듯
험난한 고통의 구덩이에서 헤엄쳐 나와
하루 햇살에 감사하며
실타래 삶을 풀어나간다.

가도 가도 망망대해
추락하는 절망과 싸우며
검은 바위산 넘고 넘어
질펀한 감정들 추슬러 나아가

희붐한 안개를 헤치며
생명의 불빛 타오르는
울퉁불퉁한 인생의 도로를 달린다.

상처 난 구멍에 햇볕 심으며
우리 함께 오늘도 살아있다는 희열로..

구름 이야기

하늘 구멍을 뚫고 억수로 쏟아지는 비
천둥과 번쩍이는 섬광이 몸을 움츠리게 하며
대낮에도 짙게 깔린 검은 구름은
우울과 슬픔 속으로 침몰 시킨다

답답한 가슴 참을 수 없어 하늘을 바라보니
검은 구름 급하게 움직이며
마지막 남은 까만 구름
허둥지둥 친구들을 따라가며 달려가고 있다.

파란 하늘은 숨겨 논 아기 구름 살며시 내보내고
사랑의 하트 구름을 보여주며
채 떠나지 못한 해는 구름을 비춰 물감을 색칠하고
그 사이로 무지개가 하늘과 땅을 찬란하게 이어 놓는다.

나는 하늘 향해 마음 활짝 열고 두 손 벌려
새로운 세상을 꿈꿔본다.

암연

하루 종일 비가 내리는 오늘
흠뻑 비를 맞으며 하루를 비워둔다.
가까이 가려 해도
다가설 수 없는 절망의 벽에 부딪쳐
출구 없는 어둠 속에
하루를 남겨놓는다.

햇살이 보이지 않는 캄캄한 방에
보이지 않는 미래를 들여다보지 않으려
공허한 블랙홀로 빨려 들어간다.
시퍼런 피멍의 상흔으로
비틀거리고 흔들릴지라도
아픔의 통증을 심연의 바다에 풀어놓는다.

보이지 않는 무언의 벽에 기대
쇠사슬에 묶인 발을 풀지 못한 채
끊어지지 않는 질긴 줄을 잡고

새어 나오는 빛을 따라
저벅저벅 무거운 발걸음을 옮긴다.

봄 비

잠자던 만유의 생명체
영혼을 씻어주는 단비를 맞아
기지개 펴고 일어나
답답한 가슴 활짝 열어 속살 드러내
환희의 생명으로 꿈틀거린다.

겨우내 움츠렸던 상처 난 구멍에
마법의 물을 흠뻑 마시면
한 알의 밀알 싹이 터져 새살이 돋고
촉촉한 빗줄기 비단실 되어
슬픔의 자리를 품에 안아 꿰매 준다,

허허로운 죽음의 껍데기 훌훌 털고
나이테 숨소리를 한껏 부풀리며
부드러운 생명수 입술에 머금은 채
초록빛 세상의 새로운 탄생을 위한
축배의 잔 높이 들어 올린다.

박쥐의 삶

나는 거꾸로 서 있다.
주머니에 들은 온갖 잡동사니 떨어져 나와 가진 것이 없고
안고 있던 아이들은 떨어져 나가 혼자 오롯이 매달려있다.
아래 향한 머리는 분해서 시뻘겋게 달아오르고
혈관들은 서둘러 발을 모시고 있다.

처음으로 발은 세상을 마주한다
시지프스 바위 되어 짓눌려 있던 무게 훌훌 떨치고
발가락 사이로 불어오는 상쾌한 바람이 발끝을 간지럽히고
어둠에 익숙한 발톱은 놀라 푸른 하늘에 눈동자를 꿈벅거린다,

오늘은 발 생애 최고의 날
천대받던 날들이 사라지고
가진 것 없지만 마음이 풍족하고
거칠 것 없는 자유가 찾아온 축복받은 날

어둠에서 벗어나 날개 달고
눈부신 햇살 받으며 빛을 향해 나아간다.
존중 받은 희열과 상큼한 자유를 향하여

낙상 1

하늘을 바라보고
앞만 바라보고 사는데 익숙해져
아래를 쳐다보지 않아
자꾸 넘어진다

오만함으로 고개를 쳐들고
열정으로 앞만 보고 달려왔던 시간
현실만 생각하고
미래만 쳐다보다
과거를 잊은 건 아닐까

낮은 곳을 보라
겸손하게 고개를 숙이라
나이가 들수록
할미꽃도 고개를 숙이고
인간도 땅을 보라 허리가 굽어가는데

넘어지는 순간
관성의 법칙 불균형으로
자존감이 무너져 내린다

낙상 2

슬리퍼 아래의 물이 요동치자
발은 중심을 잃고 쭉 미끄러져 간다

뚝
불쾌한 소리가 귓가를 스치며
발 하나가 접힌 채 땅바닥에 주저 않는다

무슨 일이 일어났는지
머리는 알지 못한 채
신경이 놀라 튀어 오르며
외마디 비명을 지른다

일자로 뻗어 직선을 이룬 오른 발
90도로 꺾여 접힌 왼 발
두발이 춤추며 자세를 잡는 순간

아 당분간 나의 시간은 멈추는구나
이웃 세계와 단절한 나만의 세계로 들어가는구나

한탄인지
안도인지
깊은 숨소리만 허공을 가른다.

파르테논이 전하는 말

높은 성벽에 둘러싸여 오늘도 하염없이 세상을 내려다본다.

옆에는 치장하느라 무수히 움직이는 기계음 소리
인간들의 화려한 웃음소리와 카메라 셔터 소리
발 밑에는 고통스런 삶과 애환의 울부짖는 소리

나는 높은 언덕에 서서 소리쳐 본다.
인간이여!
더 이상 높은 곳을 향해 오르지 말라
그곳은 나와 같은 부서진 파편이 거늘
사랑하는 그대여!
더 이상 집착하지 마라.
한때의 영광은 부질없는 조각인 것을

찢겨진 우아함을 간직하고 그대 옆에 서 있노라.
그대에게 부탁하니
부디 무수히 발굽에 밟힌
파편의 흔적으로 살지 않기를.

소원

지구의 목구멍으로 넘어가는 해를 바라보며

나는 빌었다

우주의 목구멍으로 빨려 들어가는 순간
석양빛처럼 황홀한 색은 아니어도

붉은 사랑의 가슴을 품고
바람에 날리는 고통없이
고요히 빨려 들어가고 싶다

만약 당신이 부자라면

갑자기 불쑥 들어온 질문
부자라면 무엇을 하고 싶은가
나이 든 후 한 번도 생각지 않았던 질문에
'나는 지금 부자인데요 '

즉석에서 왜 부자라고 당당하게 말했을까
콩나물 살 때 더 싼 것을 집어 들고
비싼 옷 살 때 벌벌 떨며 살며시 내려놓으며
돈을 함부로 쓴다고 자식들을 나무라는데
당당하게 부자라고 한 자신에 놀란다

내가 부자라면 지금의 행복이 배가 될까
외롭고 헛헛한 가슴이 비싼 풀 빌라에 누우면 행복할까
주식이 뛰고 아파트 사서 재산을 불려간다는데
구경만 하는 나는 자신감이 떨어진 건지 반문한다

그런데도 나는 부자다
나는 나의 경제적 여건에 맞춰 살아왔고
비싼 호텔은 아니지만 훌쩍 떠날 수 있는 건강과 용기가 있으며
어린 풀들과 밤하늘 별을 보며 대화할 수 있는 마음을 가졌고
한 발짝 물러서 삶을 볼 수 있는 시간을 가진 부자다

비록 고독 속에 피어나는 행복이지만
비우고 버리니
외로움도 달콤하게 목줄로 흐른다.

하루를 산다는 것

깨어나는 기쁨을 아는가
하루의 새로움 깨닫지 못한 채 무심히 지나는 시간이
임종의 환자에겐 너무나 소중한 시간
시간의 끝자락 붙잡고
우주의 공기를 조금이라도 맛보게 해달라는
절박한 외침의 소리가 들린다

자연의 소리가 들리는가
태양과 더불어 피어나는 생명의 소리
기지개 키고 일어나 기쁨의 환희 누리며
성장하기 위해 반듯이 몸을 세워
하루를 만끽하고 있다

인생의 묘미를 아는가
한치 앞도 내다볼 수 없는 안개 속의 삶
힘들고 고달 퍼도 심장의 고동과 맥박이 뛰는 한
세상은 살만한 가치가 있는
소중한 세상이 펼쳐질 것이다.

잠들어라 모든 걸 내려놓고
깨어나라 새로운 세상을 만나기 위해

겨울의 입맞춤

하얀 눈이 펑펑
온 세상 흰색을 뿌려놓으면
정적과 침묵 속으로 빠져들고

바람에 가볍게 날리는 눈송이
무채색으로 바뀐 세상은
어둠을 밝히고
어깨를 무겁게 짓누르고 있다.

소복이 쌓인 눈꽃 세상
영혼은 투명하게 정화되고
하얀 숨을 들여 마시며
얼어붙은 가슴에
마지막 열기를 토해낸다.

멀리서 들려오는 종소리
발걸음을 재촉하고
날개 짓 하며 부르는 천사의 노래는
눈송이를 갈라놓아
길을 환하게 밝혀놓고 있다.

BC로 돌아가는 길

예수가 탄생하기 전(Before Christ) 세계는
잘 알 수 없지만
코로나 생기기 전(Before Corona) 세상은
너무도 잘 알아

침 튀기며 깔깔대고
서로 껴안으며 사랑했던 순간들이
코로나로 죽어가는 부모의 손 한번 잡을 수 없어
먼 발치에서 발만 동동거리는 현실에
또 한번 피눈물 흘려야 하지

자연은 변함없이 아름답게 흐르고
어제 보던 집과 빌딩 그대로인데
감염되지 않을까
고립되지 않을까
보이지 않는 적과 싸우는 현실
너무 고통스러워

흰 방호복 입은 의료진
백신을 만드는 과학자들만 바라본 채
기다리고 기다리는 생존의 시간에
역사는 계속 바이러스를 기록하지만
또 다른 역사는 언젠가 이 전쟁이 끝나고
새로운 세상 펼쳐진다는 희망을 말하고 있지

개인이나 한 나라 문제가 아닌
전 세계 고통을 함께 해결할 의지가 있는 한
의사소통 할 수 있는 언어와 대화가 존재하는 한
서로 돕는 따뜻한 마음 간직하고 있는 한
코로나로 먼지 낀 시간 훌훌 걷어내
겨울 혹한 뚫고 피어 오르는 매화꽃처럼
환하게 웃으며 꽃 향기 흠뻑 들여 마시고
행복의 살을 맞대 서로 얼굴 마주보며
봄날에 취하는 시절로 갈 수 있어.

제 4부

제 4 부 황혼의 마차

꿈꾸는 새로운 세상을 향해

군불로 모락모락 피어나
파닥파닥 뛰는 따스한 심장은
당신과 사랑을 하고픈 몸부림이요
당신의 눈길을 붙잡고 싶은
마지막 희망입니다

낡은 거울

화사한 여름옷 벗어두고
두터운 검은 옷에 둘러 쌓여
낡은 거울 앞에 선 낯선 여인

탱글탱글한 모습 사라지고
시간에 맞아 깊게 패인 이마
방울 소리 울리던 입가엔
계절이 다닥다닥 붙은 잔금으로
하루하루 퍼석퍼석 말라가는 거울을 본다

안개가 껴 희미해진 눈동자로
때가 낀 거울을 닦아봐도
거울은 더욱 더 늙어만 가는데
예전의 모습 혹시 있나 들여다보자
다행히 한곳이 그대로 있다

콧구멍
숨 쉴 수 있는 두 개의 구멍이
벌렁거리며 웃고 있어서
백발로 늙어가는 낡은 문패를
오늘도 보고 또 들여다 본다.

낚시 줄에 걸린 인생

반짝이는 햇살에 몸을 맡기고
물살을 가르며 헤엄쳐 다닌다.
청춘의 삶은 윤슬로 더욱 빛나고
미지의 곳을 향해 폭우를 헤쳐나간다

지구의 반 바퀴를 돌아
허기진 배 채우려 덥석 물어버린 고기 한 조각
갑자기 목에 통증이 느껴지는 순간
한번도 올라가지 못한 높이로 공중을 날랐다

퍼드덕 거리며 온몸 흔들어보아도
강렬한 햇살에 비늘만 떨어지고
파고드는 날카로운 고통에 몸부림치다
차가운 바닥에 내동댕이 쳤다

알 수 없는 웃음과 수런거림이
몸을 핥고 지나가고
낚시 줄에 매달려 헐떡거리며 눈만 껌벅이다가
재수없는 삶은 꼬독꼬독 말라가고 있다.

달빛 25시

처연한 달이 무수한 인간의 사연을 내려다보다 피곤에 지쳐
폭삭 꼬꾸라진 사이에 앙상한 달빛의 희미한 틈을
미꾸라지처럼 빨려 들어간다 밤이 풍기는 음산한 향기 뒤로
넓게 펼쳐진 광야에 내팽개치며 가뿐 숨으로 헐떡거린다
온 세상이 하얀 빛으로 변해 만져지지 않던 시간의 절벽이
겹겹이 펼쳐진다 아무도 밟지않은 25 시속에 미세한 시간의
혈관이 흐르고 하얀 꽃 위로 향긋한 분수가 뿜어져 나와
육신을 이탈한 영혼은 풍선처럼 터져 오르는 기쁨과 황홀로
달빛 틈 사이 춤을 추고 있다

아, 해방이다.

황혼의 마차

나의 마차는 어두운 주홍빛이 가득합니다
삶의 고단함으로 찌든 잔주름과
세월에 맞은 이마의 주름을 감추고 싶어
밝은 빛에서 달아납니다

나는 캄캄한 밤을 좋아합니다
짙은 화장으로 군데군데 얼룩진 얼굴이 보일까봐
당신을 향한 심장이 두근대는 것이 들킬까봐
어둠 속에 가려 당신을 바라보고 싶습니다

염색으로 얼룩진 머리는 내 머리가 아니요
두껍게 덧칠한 마스크 쓴 얼굴도 내 얼굴이 아니고
볼록한 배 누른 채 코르셋으로 몸을 동여맨 내 몸도
진짜가 아닙니다

모든 것을 페이크로 가장한 채 슬프게 웃고 있는 모습과
군불로 모락모락 피어나 파닥파닥 뛰는 따스한 심장은
당신과 사랑을 하고픈 몸부림이요
당신의 눈길을 붙잡고 싶은 마지막 희망입니다

살아가는 길

화가 나면 화를 내고
슬픔을 참지 말며
걱정은 두려움 없이
고독은 외로운 채로 좋다.

기쁨이 있으면 마음껏 웃고
행복할 땐 따뜻한 품으로 안으며
사랑이 오면 가슴 활짝 열고 준비한다.

희노애락을 억제하기에
인생의 길이가 너무 짧아
생명의 불꽃이 타오르는 한
삶의 무대 위에 감정을 춤추게 하자.

낙엽이 하는 말

수줍게 햇살 보며
점점 초록으로 물들던 날
흥분과 설레임으로
풋풋한 내 온몸 불타오르고
붉은 정열로 빨갛게 물들어 가
하늘을 보고 우쭐대며
마음껏 웃었지

이제 불타던 심장은 꺼지고
창백한 누런 빛이 되어
바람 따라 날라가던 날
온몸으로 땅에 떨어지지 않으려
몸부림쳤었지

이제 조용히 땅에 누워
구두 발에 밟혀 이리저리 뒹굴던 날
다음 생에는
다시 태어나지 않기를 간절히 소망한다

억쎈 운 있던 날

현금 인출기 잔액은 빵
이어서 카드 미납되었다는 문자 받던 날
허허 헛웃음을 띠며
그럴 수도 있지 하며 배시시 웃었다.

지하철 문에 끼어 몸과 충돌
타박상의 아픔에 눈물 찔끔 흘리며
몸 상태 살펴보니
고민 끝에 눈 질끈 감고 산 사파이어 팔찌는 사라지고

병문안 위해 성모병원 버스를 타니
성모병원이 두 곳이라 잘못 탄 버스
알 수 없는 곳에 내려주고 떠나네

오늘의 액운은 여기서 끝나길 바라며
뜨거운 뙤약볕에 머리 말리며 찾아간 병원
물리치료 받으러 막 출발 했다나

아, 오늘 하루는 왜 이리 고단할까
이런 날도 있어야겠지 너털웃음 웃으며
저녁 먹고 나오는데 사라진 신발
오늘 나는 임자 없는 슬리퍼를 신고
터덜터덜 집으로 향했다.
궂은 날이 지나면 좋은 날도 있겠지 위로하며..

피난처

숯 검댕이 암흑을 가위로 잘라
어둠 깨뜨리고 노를 저어간다.

깔깔대며 비웃는 웃음소리
손가락질하며 다가와 숨통 조이고
갈매기 떼 지어 등에 올라타
짓누르는 압박에 숨을 헐떡이며
산산이 찢긴 난파선 되어
피를 흘린 채 쓰러진다

혼돈과 무기력한 좌절
심한 풍랑에 비틀거리고
운명의 배 저어가며
집어삼키는 파도와 맞서
피난처를 찾아 헤맨다

뒤죽박죽 산발한 머리를 다듬고
갈갈이 흩어진 영혼의 파편들 모아
희망의 가느다란 신경세포 붙들며
찢겨진 피투성이 심장에 연결하니
푸른빛 항구가 희미하게 보인다.

잃어버린 시간

주름이 깊게 패인 얼굴 위로
누렇게 퇴색된 백지의 머리
순간의 기억을 망각한 채
묻고 또 묻는 하얀 백발이 서럽다.

겨울 비 소란스런 차가운 창가에 앉아
즐겁던 추억을 남루한 치마폭에 담으며
울어주는 빗방울 마주친 공허한 눈동자에
슬픔이 주르륵 흘러 내린다.

나이든 딸을 망연히 바라보며
어린 딸 애타게 찾는 어미의 부르짖음은
요란한 빗소리에 휩쓸려가고

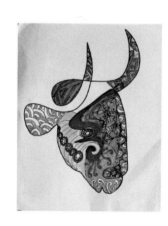

두고 온 봄날 주렁주렁 매단 채
한 줄기 빛으로 잊지 못하는 이름 부르며
애처로운 손길로 창문을 두드린다

만찬

나는 만찬을 만들기 위해 얼마나 노력했던가 요리를
못한다고 아무렇게나 재료를 집어넣고 뒤죽박죽 엉킨 삶이
어디에서 잘못 된지 모른 채 그냥 시간 흐르는 대로 삶을
팽개쳤다. 때론 소금이 너무 들어가 절망에 허우적거리며
인생의 쓴맛을 봐야 했고 때론 설탕을 너무 많이 넣어
사랑이란 착각 속에 달콤한 유혹에 빠지기도 했다. 요리를
배워야겠다는 생각을 왜 하지 않았을까 저절로 태어나 죽는
것이다 생각만 하고 삶을 배워야겠다는 생각을 하지 못했다.
한 요리가 탄생하기 위해 깨끗이 씻어 졌나 삶의 수많은
실수를 손질하며 살펴 볼 겨를도 없었고 다양한 양념이 고루
들어가야 한다는 것도 알지 못했다. 삶을 풍요롭게 해줄
양념을 찾지 못하고 적절한 비율도 알지 못한 채 흘러갔다.
나이가 들으니 볼품없는 요리가 식탁에 놓여있는 것이
보인다 한심하다 화려하지는 않지만 맛있는 만찬을 만들
기회의 시간을 생각한다. 찬찬히 자신을 들여다보며 알맞은
양념을 찾아 배낭을 들고 떠난다. 나에 맞는 나만의 시간이
담긴 삶을 오롯이 잘 버무려 만찬의 식탁에 올려 놓기 위해
동트는 새로운 항해를 향해 신선한 재료를 찾아 떠나본다

굴곡진 길

험난한 고통의 구덩이에서 나와
태풍이 지나간 평온한 길
하루 햇살에 감사하며
실타래 풀어나간다.

가도 가도 망망대해
추락하는 절망과 싸우며
검은 바위산 구르고 굴러
질펀한 감정들 추스르고

희붐한 안개를 헤치며
생명의 불빛 타오르는
울퉁불퉁한 삶의 도로를 달린다.

찢겨진 구멍에 햇볕 심으며
우리 함께 오늘도 살아있다는 희열로.

새들은 울지 않는다

참새들 아침 인사 짹짹짹
까마귀 중 음 까악까악
이름 모를 새들의 하이 톤 찌찌찌
솥이 작다 소쩍소쩍
휘파람 소리 휘이잉 위이잉
임 부르는 소리 호로롱 호로롱

저마다 하늘을 날며
목청껏 소리 지른다
새들은 기뻐서 노래 하지도
새들은 슬퍼서 울지도 않는다

언어의 혼란을 가져온 바벨탑 전설처럼
다른 새들의 언어는 알지못해
종족마다 다른 소리로 대화를 하고
다양한 다국어로 이야기하다 보니
오늘도 하늘은 온통 소란스럽다

미 접종자의 하루

딩동~

식당에 맑은 소리가 울리니 급하게 뛰어 온 사나운 얼굴
나병환자를 따돌리 듯 출입구에 '미 접종자는 출입금지'라는
문구를 못 보았느냐고 폭포수처럼 쏟아지는 굉음이 귀를
울린다. 붉어진 얼굴과 끓어오르는 자괴감이 용암처럼
흘러내린다. 미 접종자가 위험하다는 이야기일까 아니면 미
접종자가 코로나 세균이란 말인가 10% 미만의 미 접종자를
핑계로 모든 국민에게 접종을 강요하는 사회가 소수를
무시하는 다수의 횡포로 다가온다 방역패스는 순전히 미
접종자를 위한 정책이란다 아, 나는 지금 보호받고 있는지
왕따 당하고 있는건지 분별할 수 없다 나도 다수의 횡포를
지금까지 방관하며 지내오지 않았나 반성 해 본다 그래
인간은 자기 중심적이지 나도 자칭 신개인주의라고
생각했으니 슬기롭게 이 추운 겨울의 상황을 벗어나야겠다.
오늘 하루도 시간이라는 빗자루가 쓸어가고 있다. 어제와
다르지 않은 내가 바람에 실려 조금씩 빗살 하나를
그어가고 있다.

희망의 열쇠

천둥과 번쩍이는 섬광
억수같이 내리는 비
하늘에 구멍이 났나
억제했던 슬픔이 장대비 되어 흘러 내린다.

답답함을 참을 수 없어 고개 들어보니
허둥지둥 달려가는 검은 구름 사이로
파란 하늘과 새하얀 솜털이 언뜻 보여
어둡던 가슴에 한 줄기 빛이 스며든다.

짙은 회색 빛이 물러간 자리엔
숨겨진 아기 구름들이 살며시 나타나
여러 형상을 만들며 신호를 보낸다.
한 여인의 모습과 사랑의 하트를
커다란 하늘에 그리며
너를 사랑하노라 귓가에 속삭인다.

미처 떠나지 못한 태양은
온 세상을 은은한 석양빛으로 물들이고
그 사이로 오색 찬란한 무지개가
하늘과 대지를 이어주며 걸려있다.

나는 마음 활짝 열고 두 손 벌려
새로운 세상을 꿈꿔본다

막걸리

윗물이 맑아야
아랫물도 맑다 했는데
너는 어찌하여
윗물은 맑고 아래가 혼탁한가

술 사이 경계를 이루니
서로 융합되지 않은 것
머리가 텅 비어 위로 향하고
탐욕만 아래에 가득 한 것인가

막걸리는 흔들어야 제 맛이지
흔들흔들 쉐키쉐키
희뿌연 액체가 거품을 물으니
그 풍미가 일품 일세

입안에는 달콤한 쉰내 가득
빨간 볼은 짙은 단풍으로 물들어 가고
사랑도 인생도 빙글빙글
잠시 취해서 살아 볼꺼나

Makgeolli

They say if the water above is clear
The water below should be clear too
But why is it that
The water above is clear and the bottom is murky

Between Makgeolli. there's a boundary
That keeps them from blending together
The empty head looks up
While greed fills down below

Makgeolli needs to be shaken
Shake, shake, shakey-shakey
The hazy liquid foams up
Its flavor is truly exquisite

The mouth is filled with a sweet and sour scent
The cheeks are dyed with deep red leaves
Love and life spin round and round
Let's live for a moment, intoxicated

귀로

외로운 씨앗 하나
바다에 떨어져
희망의 등대 벗 삼아
헤엄쳐 세상 품에 왔다가

거친 파도에 이리저리
비틀거리며
몸부림치다
마지막 긴 숨 내려놓으면

암흑의 돛단배에
다시 홀로 떨어져
희미한 별 벗 삼아
미지의 섬을 향해 노 저어간다

Life Coming Back

One lonely seed

Dropped into the sea,

Guided by the lighthouse of hope

Swimming for the birth of life

Tumbling and struggling

Gasping for breath

Against rough waves

Until the final long breath was exhaled

Once again, alone

On a dark sailboat

Guided by a faint star,

Sailing towards an unknown island.

작가의 말

간신히 쪽배로 닻을 내린
태평양 한가운데 떨어진 외딴섬
둘러봐도 아무도 알 수 없는 낯선 곳
힘찬 파도만이 입을 벌려
나의 존재를 무시한 채
무심하게 쏟아내는 그들의 언어

씨줄로 얽힌 닳아진 삶이
날줄로 풀어진 바다 앞에서
파도에 휩쓸려 사라질까
강한 바람에 휘어진 야자수 아래
나의 시간들을 풀어본다.

달빛 25 시는 코로나 시기에 쓰여진 시를 담은 글이다. 약물
알레르기가 심했던 나는 접종을 하지 못한 채 언제 닥칠지

모르는 죽음의 불안과 공포 속에서 시간들을 보냈다.
코로나로 죽어가는 사람들은 가족들과도 단절된 채 외로운
병상에서 눈물 흘리다 화장터로 보내졌다. 더군다나 나는 미
접종자로써 사회의 편견에 휘둘려 방역패스라는 제도하에
공공장소는 물론 카페등에서도 거부당한 채 전염병자를
보는 듯 하여 주변사람들과의 관계도 소원해지고 자신도
점차 위축되어 갔다. 소중한 시간이 날아가고 지나온 추억과
기억이 흩어지기 시작했다

아까워라 날아가는 시간들
애달퍼라 사라지는 삶의 기억들

하늘은 무심한 듯 그대로이고
달과 별은 변함없이 따뜻하게 비추고 있지만
벌거벗은 나목은
가로등의 창백한 빛에 등을 돌리고
그림자를 벗 삼아 한잔 술을 마신다.

-방역패스 중에서 -

한번도 경험하지못한 사회적 상황에 전 세계인들이 공포에
떨고 있었고 지나온 평범한 삶이 얼마나 소중한가를 느끼게
하였다. 간간히 들려오는 예방접종 후 사망했다는 소식들은

어디에도 속할 수 없었던 나의 존재가 얼마나 미약 한가를 보여주고 있었다. 미 접종자로 낙인 찍혀 자발적 고립이 아닌 사회로부터의 고립은 고독이 고독을 더 부르게 하였다. 주변을 둘러봐도 암울한 현실 앞에서 의지할 지팡이 하나 없이 내 영혼은 방황하고 있었다

.

돛단배 하나 보이지 않는 망망대해에서
잠든 바닷속에 시간을 묻어두고
흘러가는 구름에 몸을 맡긴 채
불 켜진 따뜻한 등대 행여나 보일까
잡을 수 없는 순간을 향해 날개를 펴고
쉴 곳 찾아 짙은 해무 속을 헤매고 다닌다.

= 해무 중에서

-    -

한치 앞을 볼 수 없는 미래의 시간속에서도 항상 똑같은 자리에서 비춰주는 달은 현실에서 벗어난 또 다른 공간과 인간이 만든 시간을 넘어선 새로운 시간의 세계가 존재하고 있다는 것을 말해주고 있는 듯 하였다. 모든 역사를 알고 있는 달은 현재의 역사를 묵묵히 비추면서 이 암울한 시간도 곧 지나갈 거라고 빛을 발하는 시간의 벽에서 희망을 비쳐주고 있는 듯 하였다.

,

온 세상이 하얀 빛으로 변해 만져지지 않던 시간의 절벽이
겹겹이 펼쳐진다 아무도 밟지않은 25시속에 미세한 시간의
혈관이 흐르고 하얀 꽃 위로 향긋한 분수가 뿜어져 나와
육신을 이탈한 영혼은 풍선처럼 터져 오르는 기쁨과 황홀로
달빛 틈 사이 춤을 추고 있다

아, 해방이다.

- 달빛 25시 중에서-

지금 이 글을 쓰는 시간은 코로나가 풀리고 예전의 상처가
아물어가는 시점이다. 과거의 기억들이 사라지기 전에 그
시간을 견디게 해주었던 글들과 만나고 싶었다. 게오르규가
쓴 25시는 모든 구원이 끝나버린 시간 즉 절망의 시간을
표현했지만, 나는 미래가 또 다시 어떤 위험에 부딪친다
해도 절망적 시간의 절벽 사이 언뜻언뜻 나타나는 희망의
세계를 본다. 달빛은 변함없이 지고 차는 일을 반복하며
흘러가는 역사의 희망을 따뜻하게 비춰주고 있다.

2집 <달빛 25시>를 출간하며 내 자신의 독백의 이야기라
생각하니 성숙한 시가 되지 못한 것에 부끄러움을 느낀다.
또한 미흡하나 조금씩 영어로 번역시를 도전해 보았다.

선뜻 서문을 써주신 한국 문인협회 이사님 장충렬 교수님께
감사드리며, 한국 문인협회에서 발간한 <한국 문학인>에
발표한 <하늘연달>의 시를 <한국 현대시를 대표하는
시인들>속에 선정해 주신 지은경 박사님께도 감사드린다.
전혀 알지 못하는 분께 좋은 시라고 뽑혔다는 것은
소소하게 글을 쓰는 사람으로 인정받았다는 자긍심과
영광스러움을 느끼게 해주었다.

암울한 코로나 시기가 언제 있었냐는 듯이 마스크를 벗고
거리를 활보하며 다시 평범한 일상 생활로 돌아온 지금,
오늘도 살아 남아 코로나 상처의 구멍에 햇볕을 쬐어주고
감사의 충만함을 온 몸에 받으며 새로운 역사의 시간을
걸어본다.